DESSINE AVEC DES LETTRES

VÉRONIQUE GUILLAUME

casterman

Conception graphique : Nicolas Gilson
Mise en pages et mise en couleur : Véronique Lux

<http://www.casterman.com>

© Casterman 2000

ISBN 2-203-15033-5

TABLE DES MATIÈRES

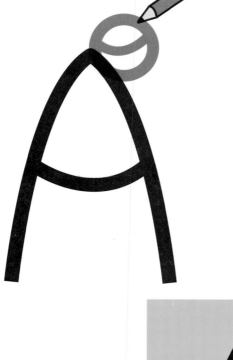

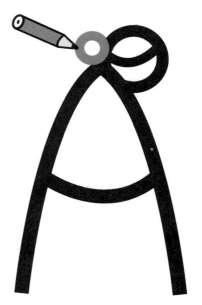

C'EST UNE FEMME

un ange

un âne

une tente

un lutin

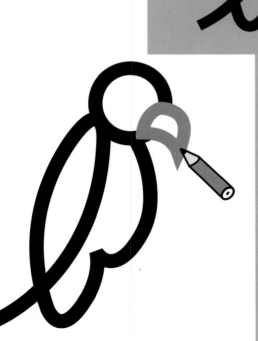

C'EST UN PERROQUET

un toucan **un lapin** **une araignée** **un papillon**

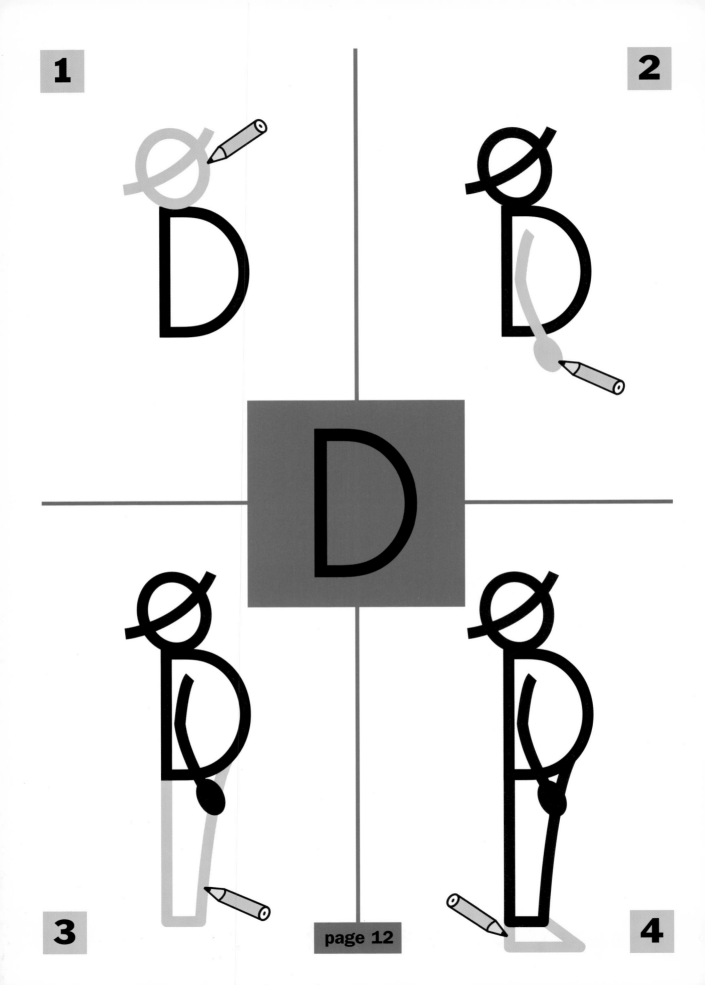

C'EST UN BONHOMME

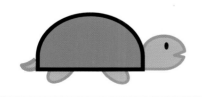
une tortue

une casserole

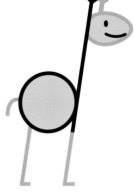
une girafe

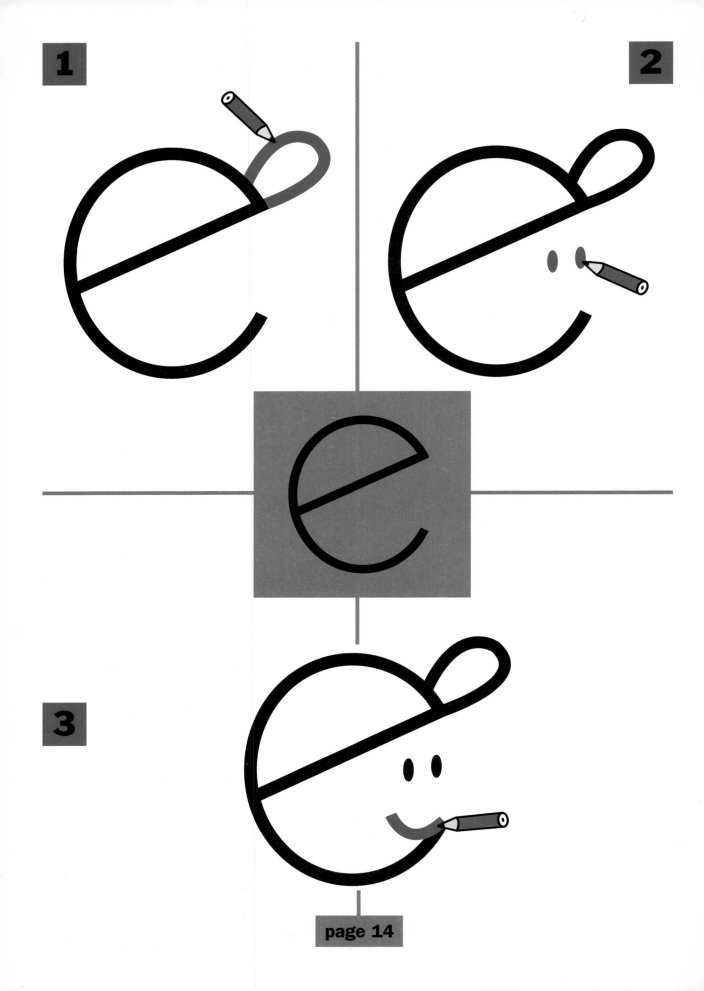

C'EST UNE FIGURE

un canard   **un oiseau**   **un singe**   **un joggeur**

1

2

3

4

C'EST UN GARÇON

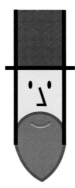

un oiseau **un barbu** **un sablier**

1

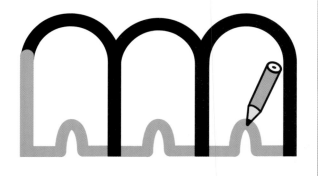

2

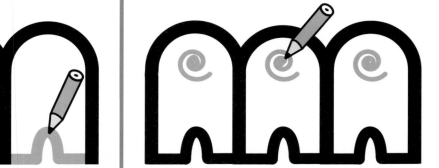

3

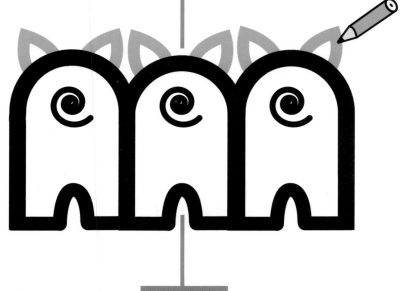

CE SONT 3 COCHONS

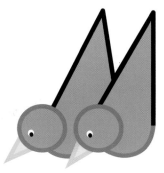

un roi　　　**une blouse**　　　**des moineaux**

1

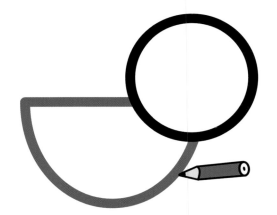

2

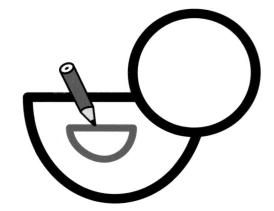

3

4

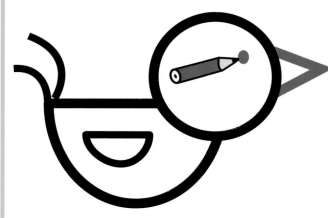

C'EST UN POUSSIN

 un garçon  une montgolfière  une cafetière  un ours

1

2

3

4

C'EST UNE SOURIS

| une bombe | un tambour | un chat | un réveil |

1

2

3

4

C'EST UN CANARD

 **un poisson**  **une souris**  **un héron**  **un lézard**

1

2

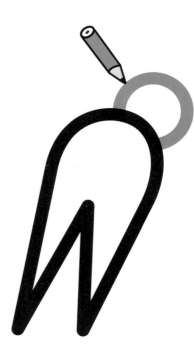

3

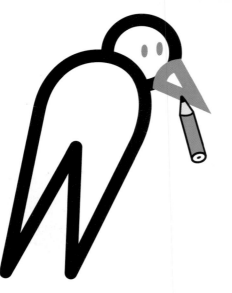

4

C'EST UNE HIRONDELLE

un loup

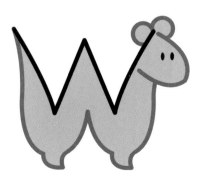
un dromadaire

un serveur

CE SONT ...

C
un poisson

T
une ancre

G
un landeau

j
un parapluie

i
un drapeau

i
une fleur

k
un lapin

f
une hirondelle

f
une luciole

L
un roller

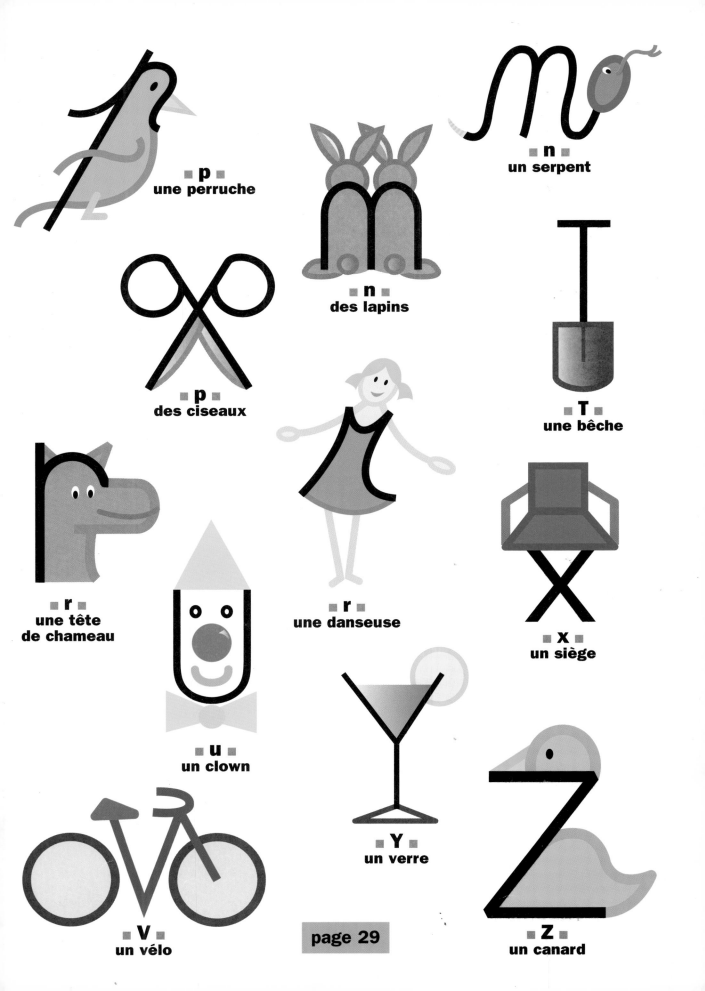

p une perruche

n des lapins

n un serpent

p des ciseaux

T une bêche

r une tête de chameau

r une danseuse

X un siège

u un clown

Y un verre

V un vélo

Z un canard

Imprimé en Belgique.
Dépôt légal février 2000; D2000/0053/9
Déposé au ministère de la Justice, Paris
(loi n° 49.956 du 16 juillet 1949 sur les publications destinées à la jeunesse).